MICHAELA DIETL
L'AMOUR
Französische Musette
für Akkordeon
mit 2. Stimme

Impressum

VHR 1848 / ISMN 979-0-2013-0973-6 / ISBN 978-3-86434-078-9

Notensatz: Regina Krauß
Layout: Tim Walter
Covergestaltung: Carla Dietl
Foto S. 3: Birgit Deiterding
Foto Rückseite: Marcel Weber
Foto Cover/Innenteil: ullstein bild

www.holzschuh-verlag.de

Liebe Spieler/-innen!

Es scheint, als wäre das Akkordeon mit der Musette-Musik geboren ...
So jedenfalls empfinde ich es oft, wenn ich bei Auftritten, auf Konzerten, auf Festen einen französischen Musette-Walzer spiele. Die Stimmung hebt sich, im besten Fall will getanzt werden.

Meine Straßenmusik-Reise durch Europa habe ich in Paris begonnen. Damals spielte ich Domino, einen berühmten Musette-Walzer, auf einem kleinen Kinder-Akkordeon. Ich war fasziniert, wie sich diese Musik in das französische Ambiente einschmiegte, als sei sie mit der Sprache und den Menschen verwoben. Zurück in Bayern, drängten meine bayerischen Wurzeln in meine ersten selbst komponierten französisch anmutenden Walzer (Pippi-Lotta, Flamingo) ... und eroberten auf den verschiedensten Hochzeiten Publikum und mich selbst! Ich hatte beinahe ein Wundermittel in der Hand, diese Walzer wurden zum Aperitif meiner Auftritte. Die Damen des Quetschenweiber-Orchesters haben dies auch so erlebt – Ingrid Hörl hat dies sehr schön ausgedrückt mit Ihrer Beschreibung meiner Stücke (siehe Rückseite).

Und so wünsche ich mir, dass diese Musik noch viele Menschen erfreut, sei es beim Spiel zu Hause (Musette für Carla habe ich als Abendlied für meine Tochter entwickelt, so auch Mondscheinwalzer), auch mit weiteren Spieler/-innen oder auch bei Festen etc. Viele der Stücke habe ich auf der CD „L'amour" eingespielt. Unter www.michaela-dietl.de kann man diese bestellen und auch Musette-Workshop-Termine buchen.

Mein besonderer Dank geht an Herrn Uwe Sieblitz, der feinfühlig-kreativ die Entstehung dieser Ausgabe begleitet hat.

Eine GEMA-Meldung bei öffentlichen Auftritten ist ein respektvoller Ausdruck
für mich als Urheberin. Danke ... und viel, viel Freude!

Michaela Dietl

*) Zu diesen Stücken gibt es eine 2. Stimme

1
L'amour

L'amour

Michaela Dietl

2.x 8va ad lib.
29 G7 Cm B♭ E♭
G g7 D g7 C cm G cm B♭ b♭ D b♭ E♭ e♭
36 G7 Cm E7
B♭ e♭ G g7 D g7 C cm G cm E e7 B e7 (H)
43 Am Fm E♭
A am E am F fm C fm E♭ e♭ B♭ e♭
49 Fm E♭ Fm
F fm C fm E♭ e♭ B♭ e♭ F fm C fm
55 E♭ Fm E♭ Fm
E♭ e♭ B♭ e♭ F fm E♭ e♭ F fm C fm
D.S. al Fine con rep.

2 Pippi-Lotta

Pippi-Lotta

Michaela Dietl

15 G
G g D g G g F♯ g E g
20 G C
D g G g D g C c G c
25 G D7
C c G c G g D g A d7
30 G C
D d7 G g D g C c G c
35 G D7 G 1. 2.
G g D g A d7 D d7 G g G G
Fine

42
F
1 3 1 1 1
F f E f D f C f
46
3 3 3 3 3 3
4 5
C7
4
F f C f G c7 C c7
50
1 3 1 3 1 1
B♭ c7 G c7 C c7
54
3 3 3 3 3 3
4 4
F
5
G c7 E c7 F f C f
58
1
F f E f D f C f

62
B♭
F f C f B♭ b♭ F b♭
66
F
B♭ b♭ D b♭ F f A f
70
C7
F
C c7 G c7 F f C f
74
B♭
F
B♭ b♭ D b♭ F f A f
78
C7
F
1.
2.
G c7 C c7 F f C f F f F
D.C. al Fine
senza rep.

Michaela Dietl

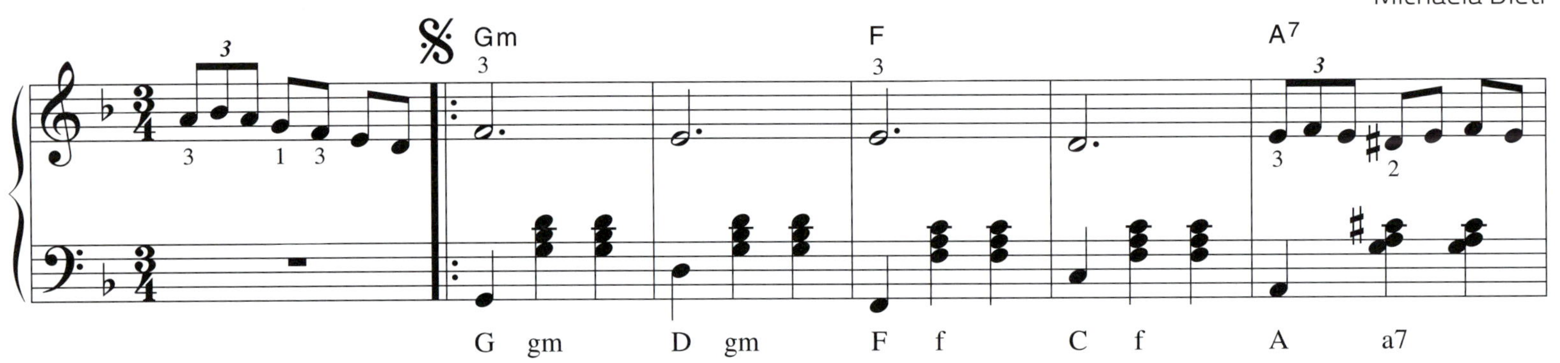

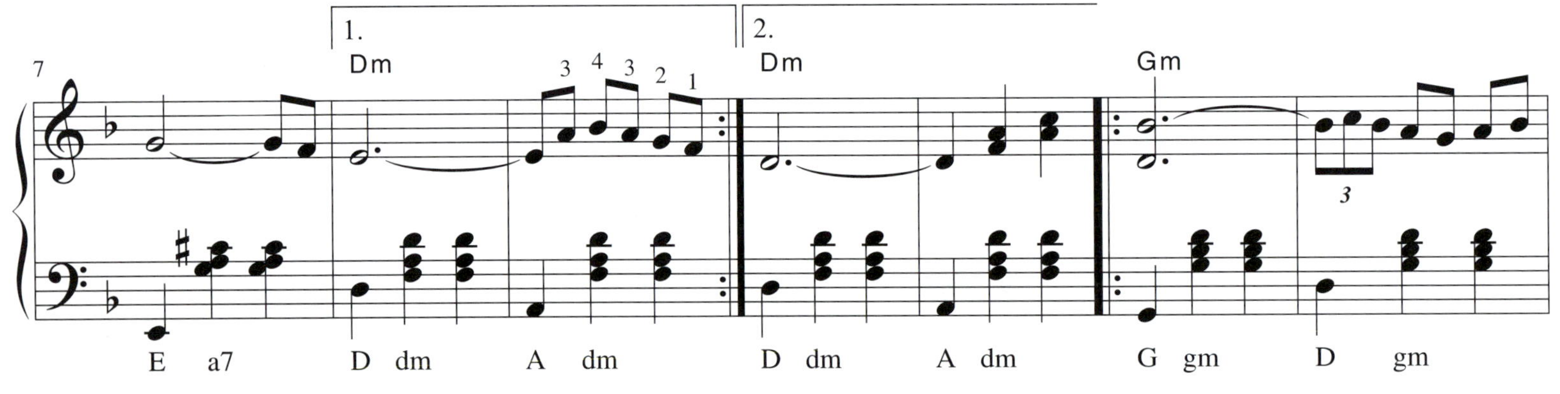

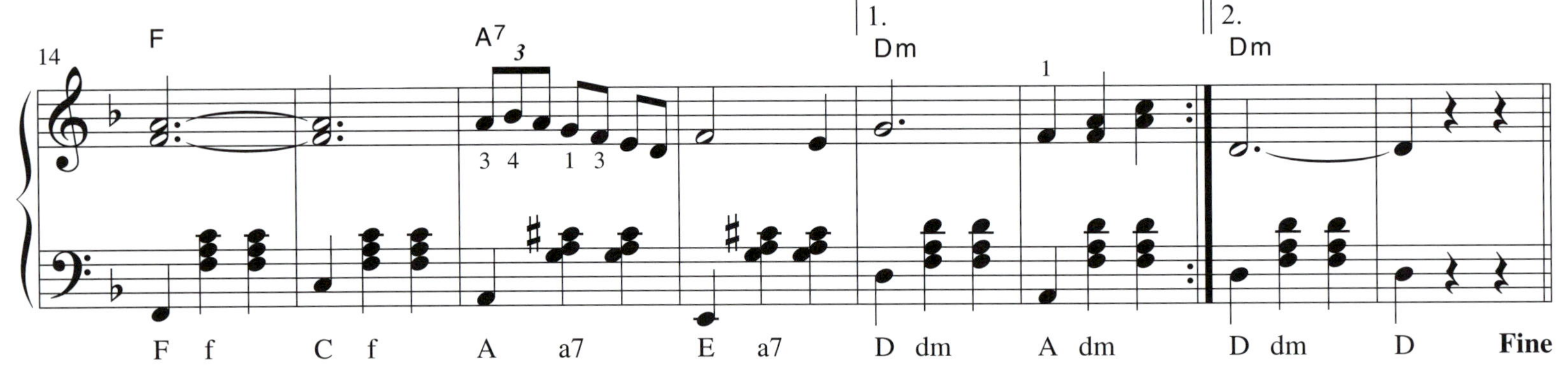

Variation

Gm F A7

G gm D gm F f C f A a7 E a7

7 1. Dm 2. Dm Gm F

D dm A dm D dm A dm G gm D gm F f

14 A7 1. Dm 2. Dm

C f A a7 E a7 D dm A dm D dm D dm

D.S. al Fine con rep.

4

Musette für Carla

Musette für Carla

Michaela Dietl

C G7 C G7 F G7

C c G g7 C c G g7 F f G g7

7 C G7 C E7 Am

C c G g7 C c E e7 A am E am

13 G D7 G7 C E7

G g D d7 G g7 D g7 C c E e7

19
Am G D7 G7
A am E am G g D d7 G g7 D g7
25
Am E7 F C G7
A am E e7 F f C f C c G g7
31
C F A7 D7
C c G c F f A a7 D d7 A d7
37
G7 C G7
D d7 A d7 G g7 D g7 C c G g7
43
C G7 F G7 C G7 C
rit.
C c G g7 F f G g7 C c g7 G C c

5 Talking Waltz

Talking Waltz

Michaela Dietl

18
Cm
G7
C cm G cm D g7 G g7
22
Cm
D g7 G g7 C cm G cm
26
C7
Fm
D7
C c7 G c7 F fm C fm D d7
31
1. G7
2. G7
A d7 G g7 G g7
35
Dal 𝄋 al
⊕ – ⊕
con rep.
G
Cm
G g C cm G cm
C

6

Wohin?

Wohin?

Paso Doble

Michaela Dietl

Gm
Cm
G gm D gm
C cm G cm

F7
B♭
D7
F f7 C f7
B♭ b♭ F b♭
D d7 A d7

Gm
G gm D gm

13 E7 A7

E e7 B e7 A a7 E a7
(H)

17 B♭m Dm

B♭ b♭m F b♭m D dm A dm

21 Fm G7

F fm C fm G g7 D g7 **Fine** **D.C. al Fine con rep.**

Musette pour tous

Michaela Dietl

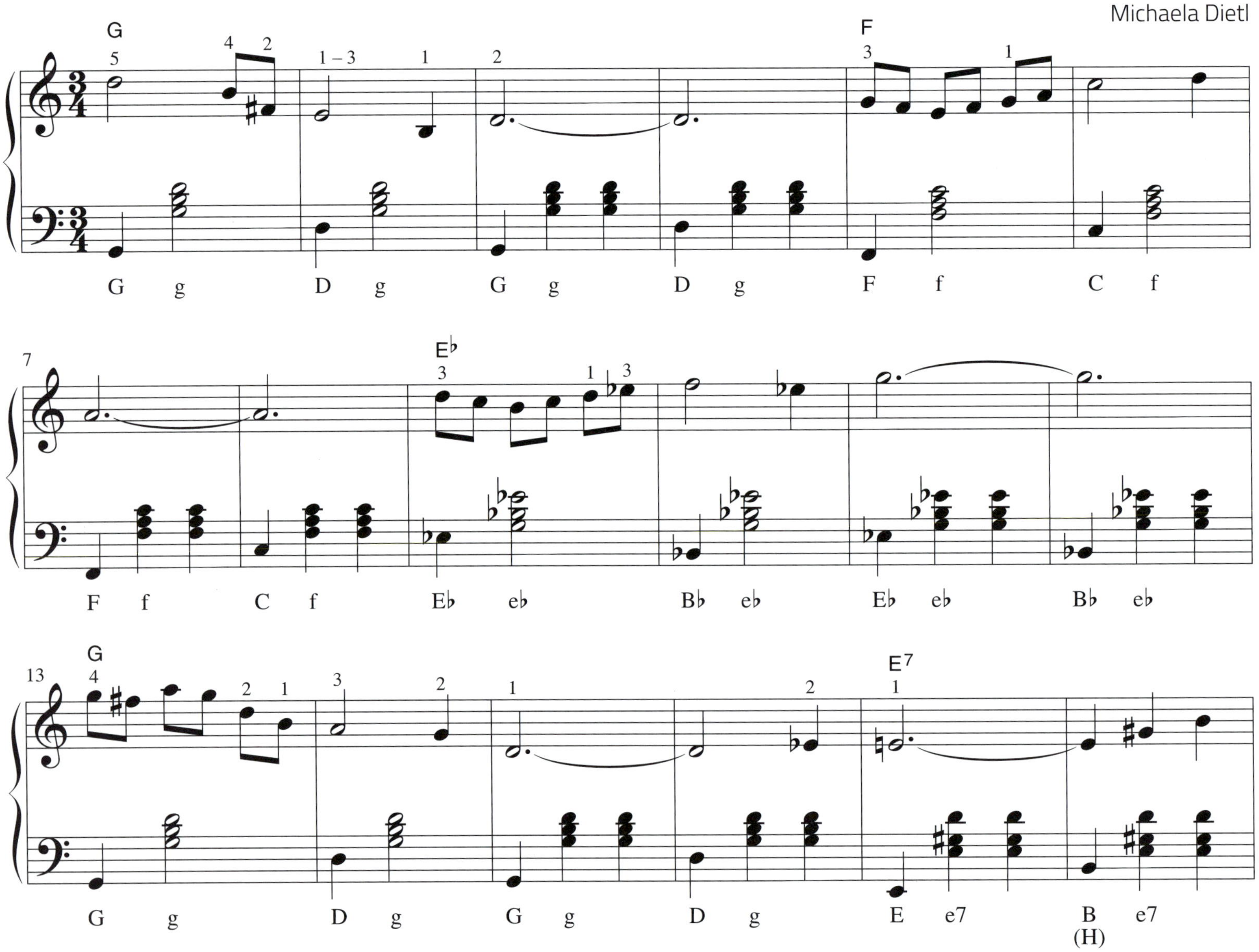

G F

G g D g G g D g F f C f

7

E♭

F f C f E♭ e♭ B♭ e♭ E♭ e♭ B♭ e♭

13

G E7

G g D g G g D g E e7 B e7
(H)

19
Am
4 1
E e7 B e7 A am E am
(H)
23
Dm G C
2 1 2 2 1 4
A am E am D dm G g C c
28
F G C
1 4 3 2 1 2 3 4 5
F f D g B g C c c
(H) C

8
Auf'm Sprung

Auf'm Sprung

Quasi Tarantella
Michaela Dietl
F B♭m F
F f C f
B♭ b♭m F b♭m
F f C f
6
B♭m F
B♭ b♭m F b♭m
F f C f
Fine
11
Dm Gm
D dm A dm
G gm D gm
15
G7 C
G g7 D g7
C c G c
D.C. al Fine con rep.

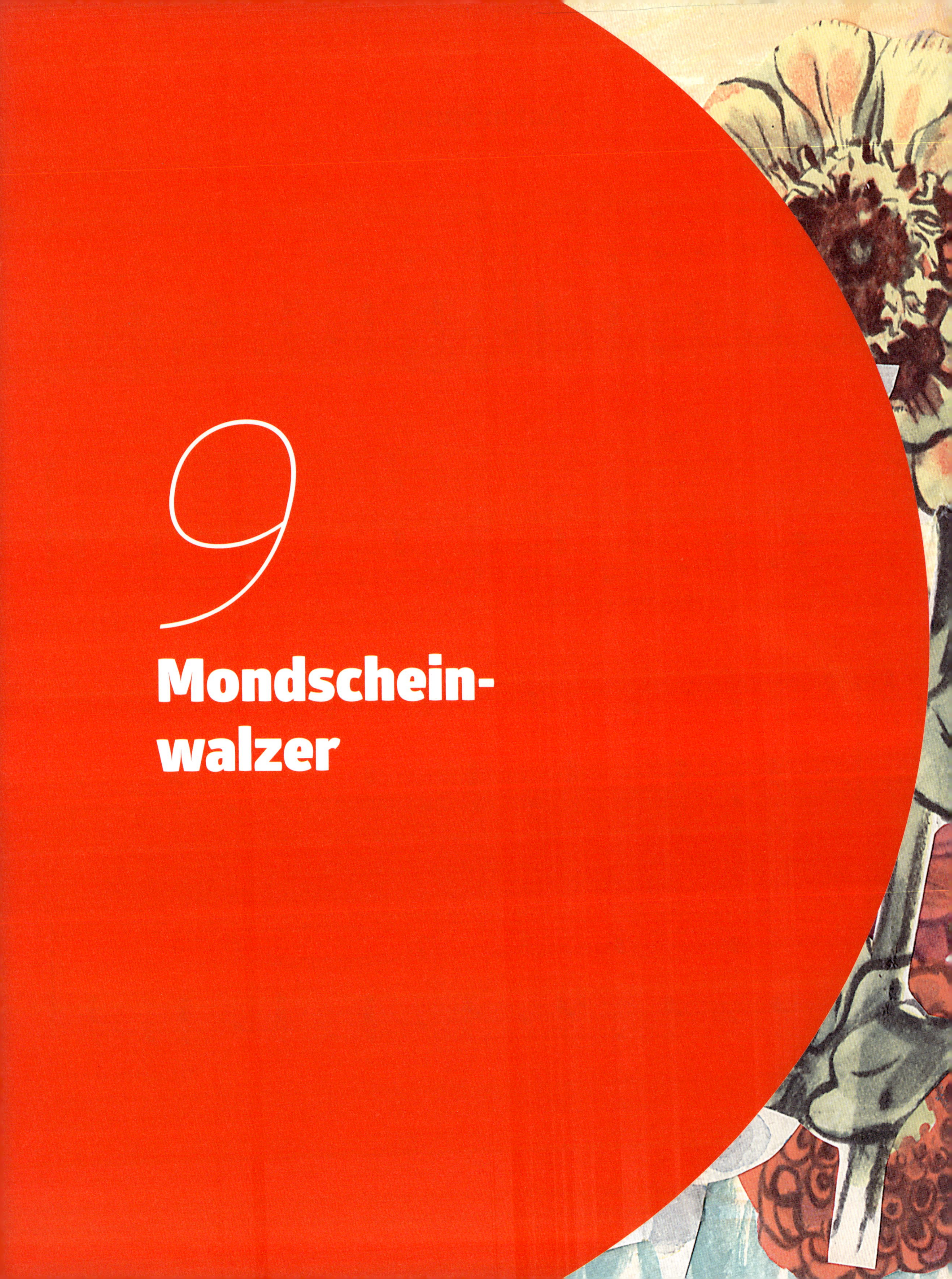

9
Mondschein-walzer

2. Stimme
MICHAELA DIETL
L'AMOUR
Französische Musette
für Akkordeon
mit 2. Stimme

2. Pippi-Lotta

Michaela Dietl

F C7 F
Bb bb bb D bb bb F f f A f f C c7 c7 G c7 c7 F f f C f f
Bb F C F
1. 2.
Bb bb bb D bb bb F f f A f f G c7 c7 C c7 c7 F f C f F f F
D.C. al Fine senza rep.

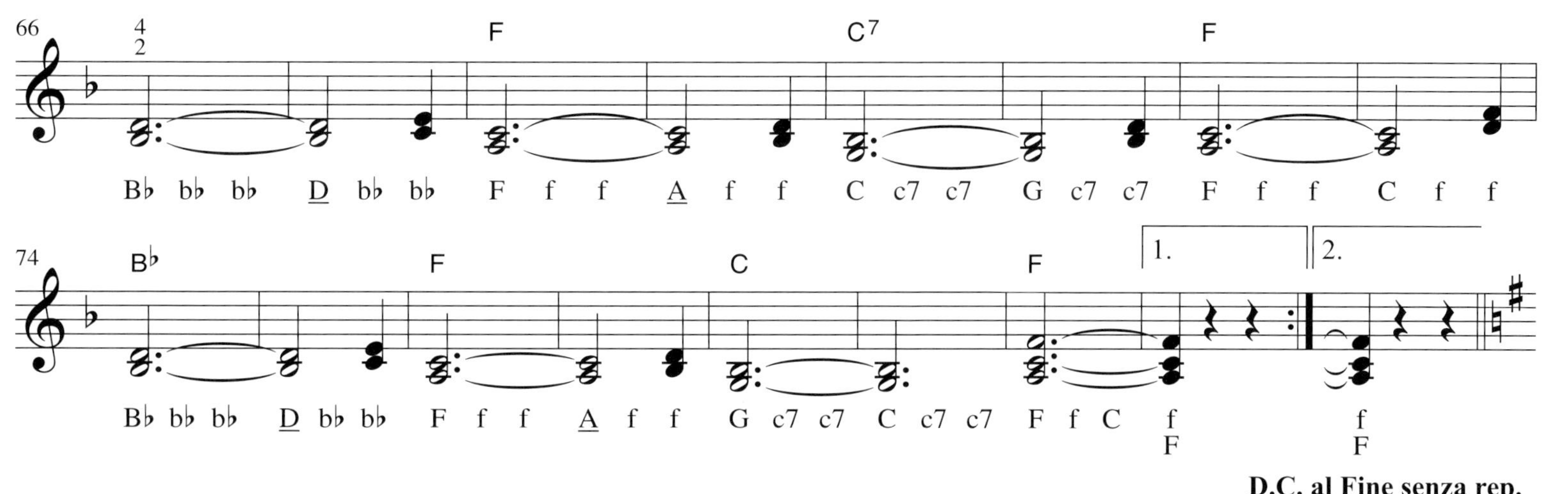

5. Talking Waltz

Michaela Dietl

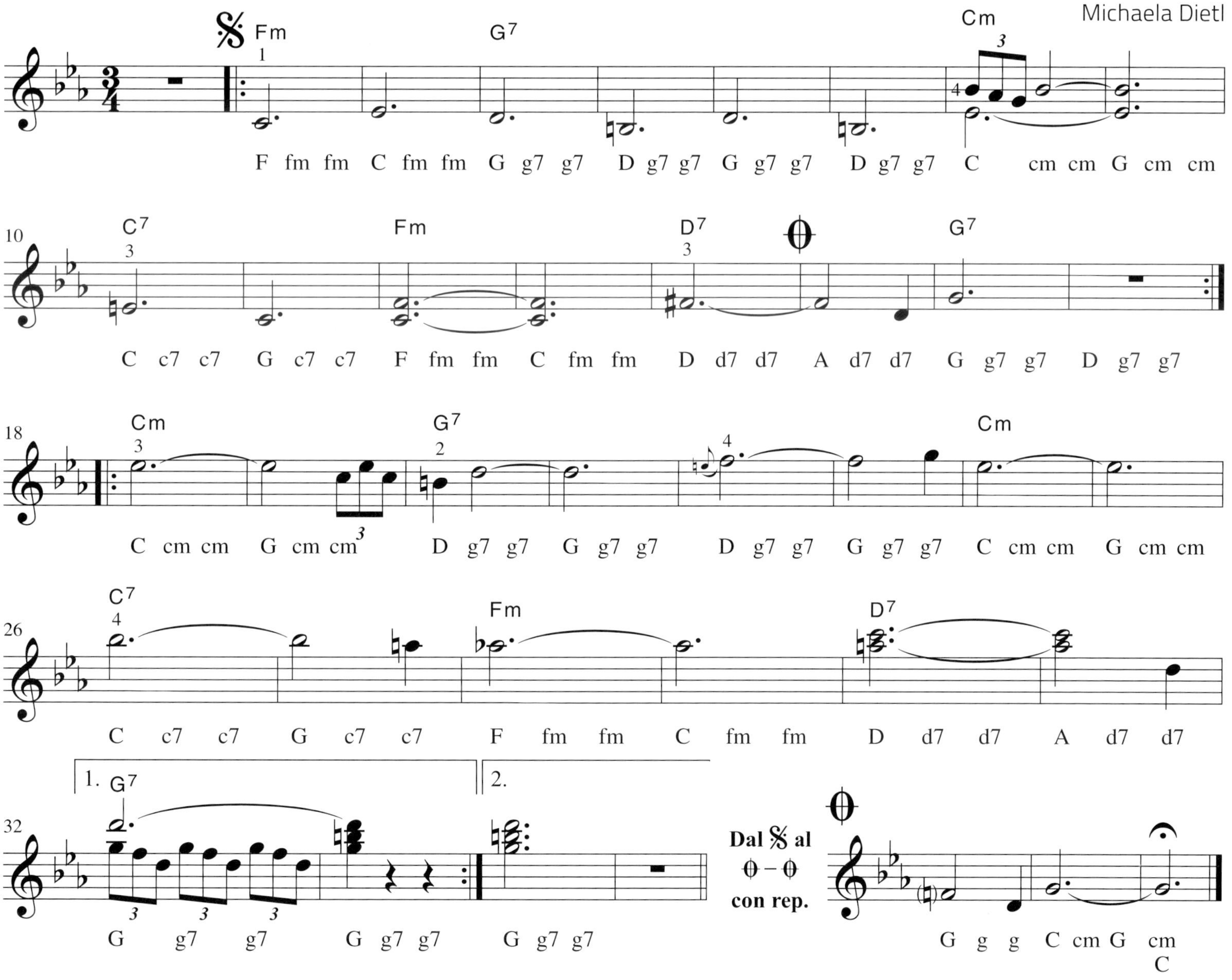

Fm G7 Cm
F fm fm C fm fm G g7 g7 D g7 g7 G g7 g7 D g7 g7 C cm cm G cm cm
C7 Fm D7 G7
C c7 c7 G c7 c7 F fm fm C fm fm D d7 d7 A d7 d7 G g7 g7 D g7 g7
Cm G7 Cm
C cm cm G cm cm D g7 g7 G g7 g7 D g7 g7 G g7 g7 C cm cm G cm cm
C7 Fm D7
C c7 c7 G c7 c7 F fm fm C fm fm D d7 d7 A d7 d7
1. G7 2.
G g7 g7 G g7 g7 G g7 g7
Dal 𝄋 al Φ – Φ con rep.
G g g C cm G cm C

6. Wohin?

Paso Doble

Michaela Dietl

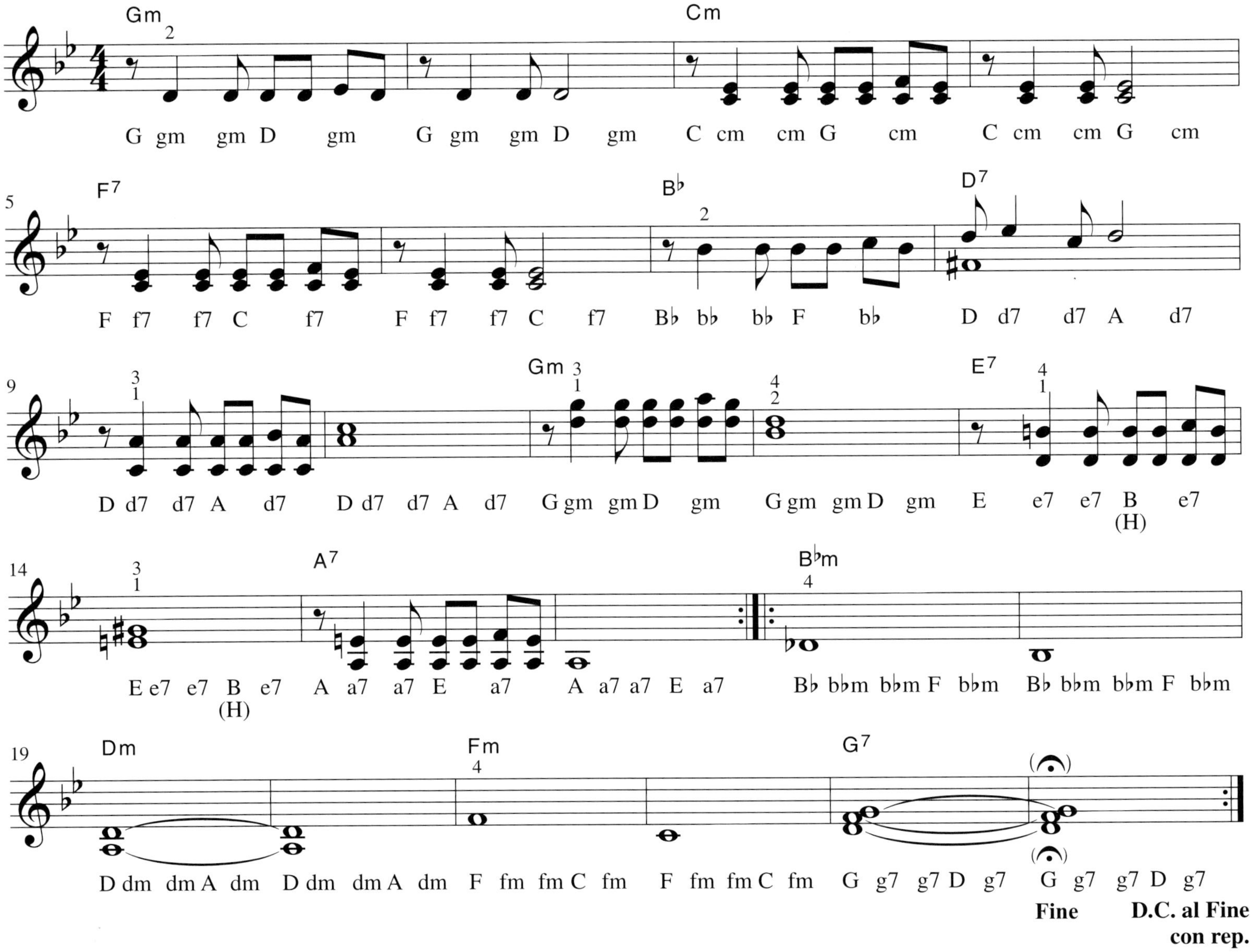

Gm 2 Cm

G gm gm D gm G gm gm D gm C cm cm G cm C cm cm G cm

5 F7 B♭ 2 D7

F f7 f7 C f7 F f7 f7 C f7 B♭ b♭ b♭ F b♭ D d7 d7 A d7

9 3 1 Gm 3 1 4 2 E7 4 1

D d7 d7 A d7 D d7 d7 A d7 G gm gm D gm G gm gm D gm E e7 e7 B e7
(H)

14 3 1 A7 B♭m 4

E e7 e7 B e7 A a7 a7 E a7 A a7 a7 E a7 B♭ b♭m b♭m F b♭m B♭ b♭m b♭m F b♭m
(H)

19 Dm Fm 4 G7

D dm dm A dm D dm dm A dm F fm fm C fm F fm fm C fm G g7 g7 D g7 G g7 g7 D g7

Fine **D.C. al Fine con rep.**

7. Musette pour tous

Michaela Dietl

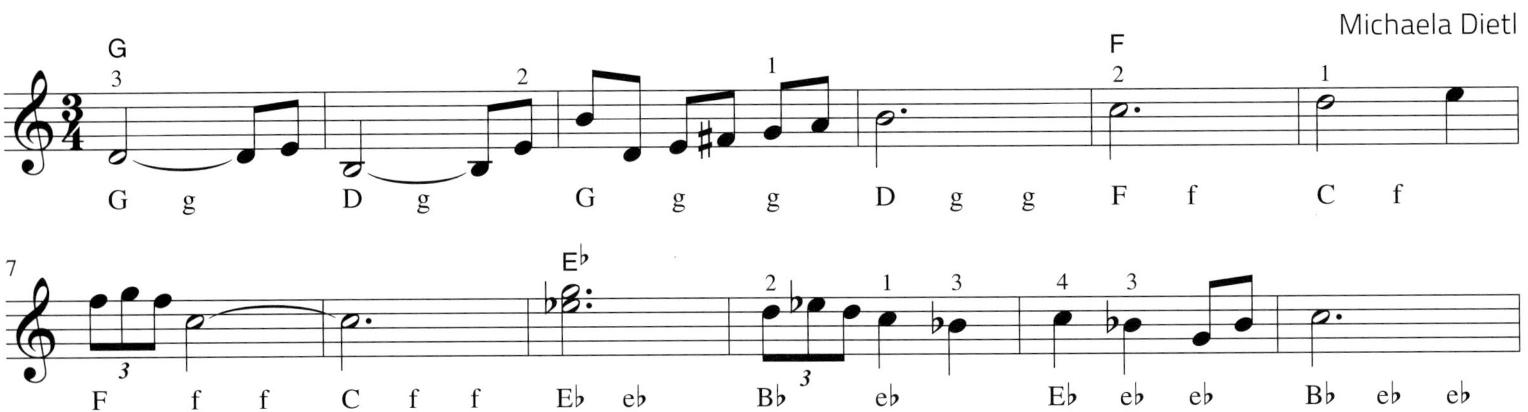

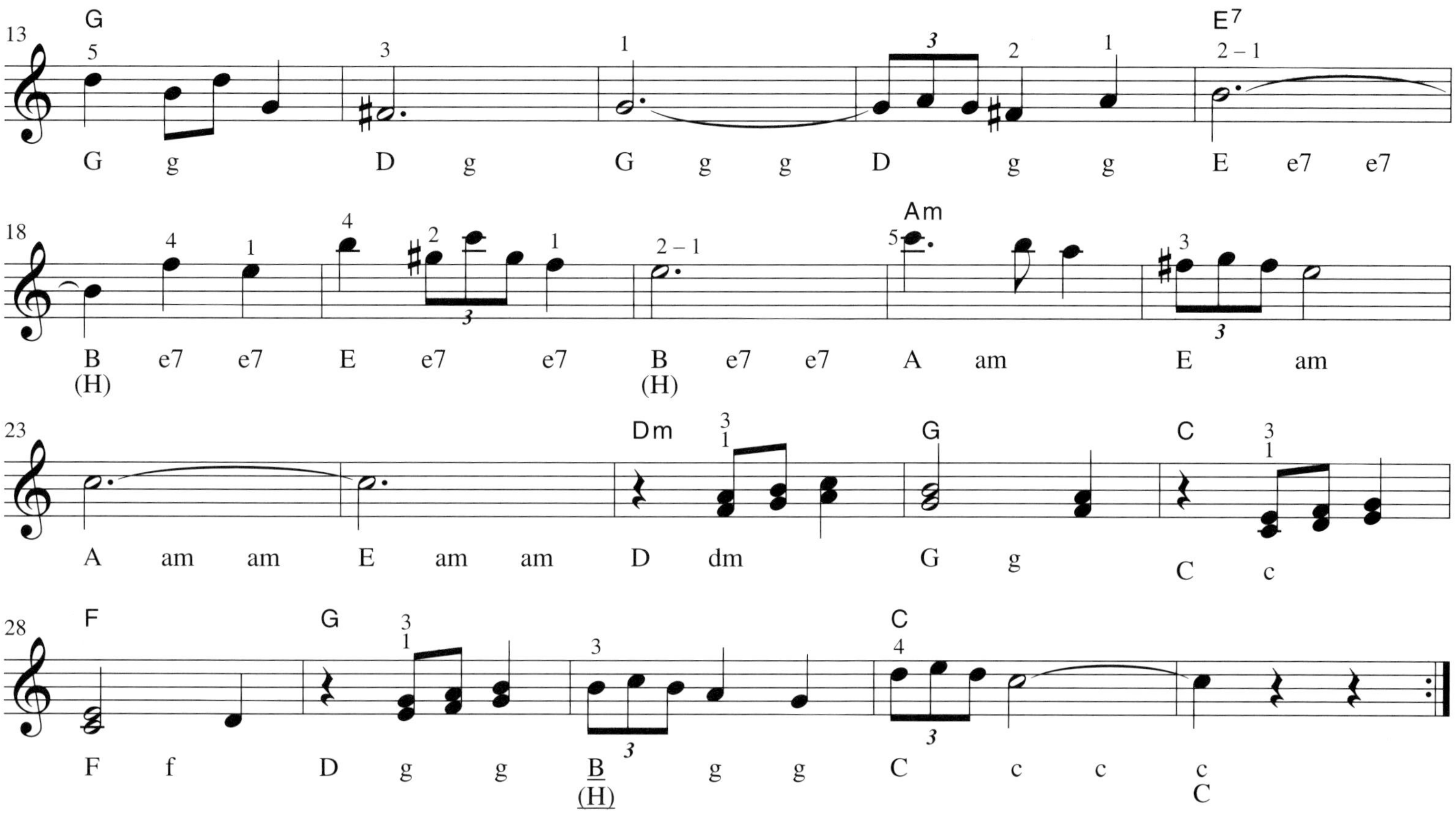

9. Mondscheinwalzer

Michaela Dietl

10. Papierwalzer

Michaela Dietl

11. J'ai perdu

Michaela Dietl

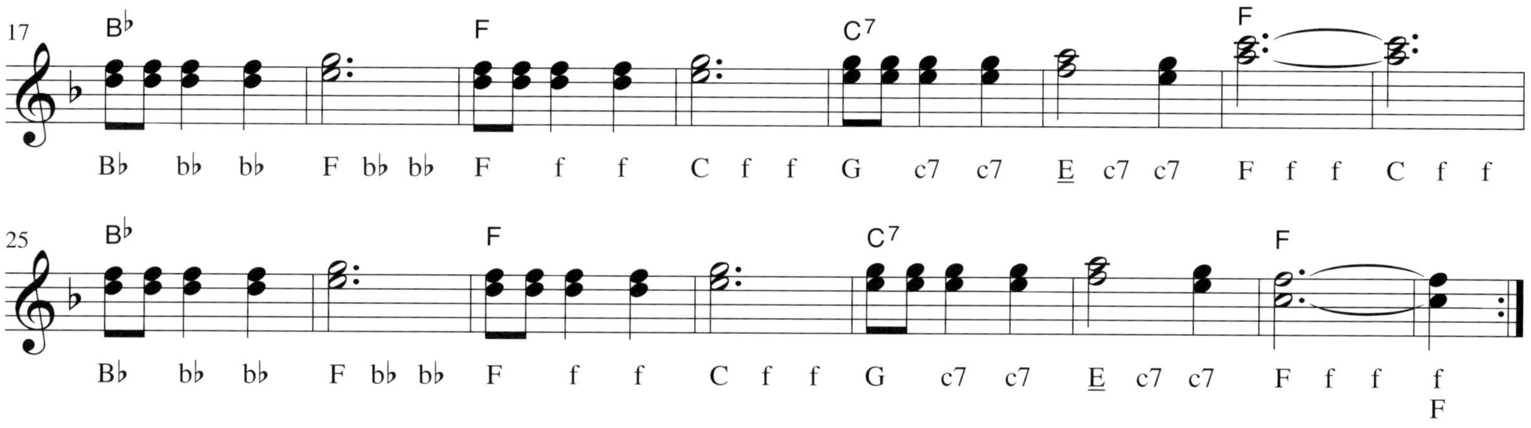
B♭
F
C7
F

12. Flamingo-Walzer

Michaela Dietl

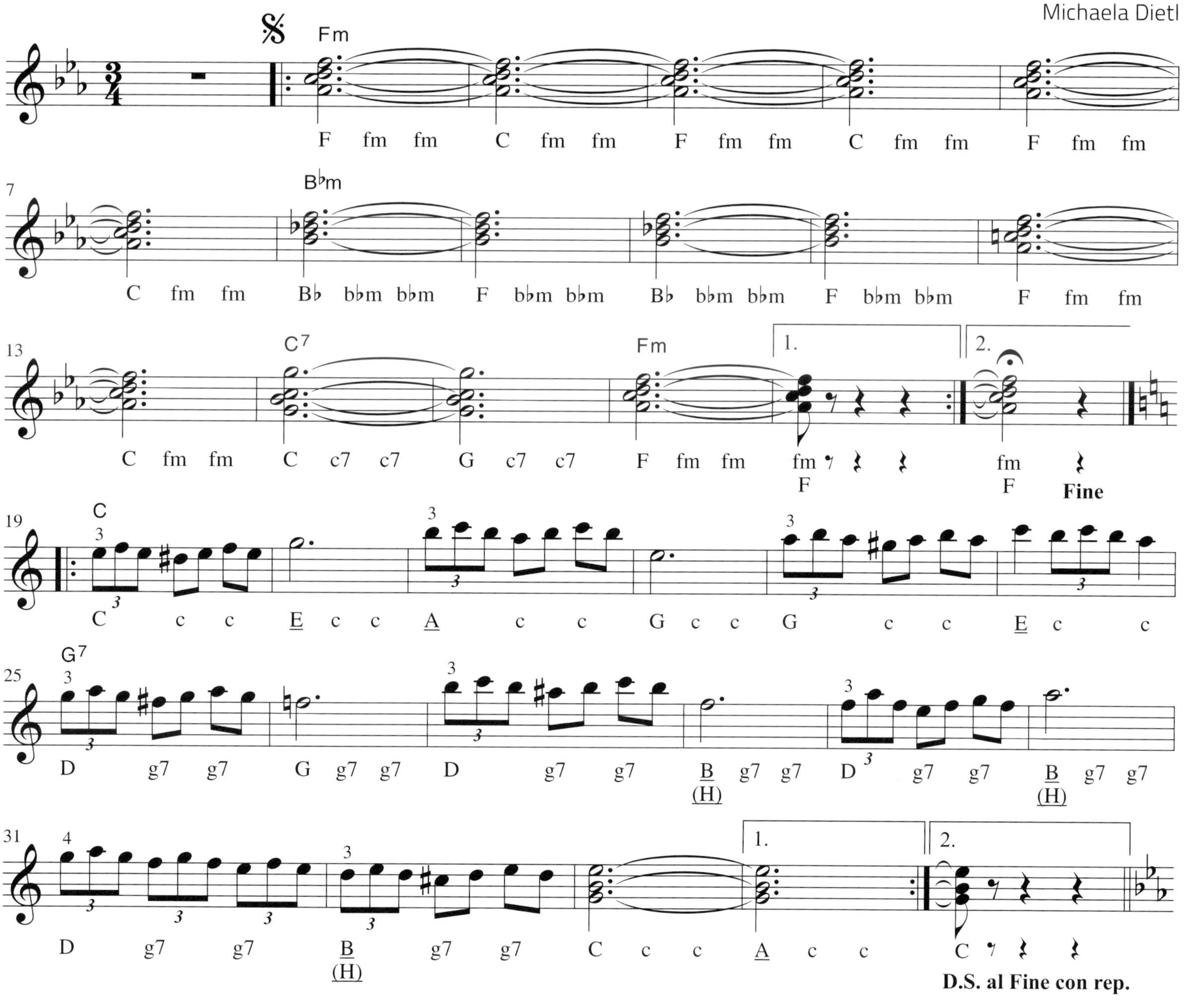
Fm
B♭m
C7
Fm
1.
2.
Fine
C
G7
1.
2.
D.S. al Fine con rep.

14. Rüdiger, ach Rüdiger

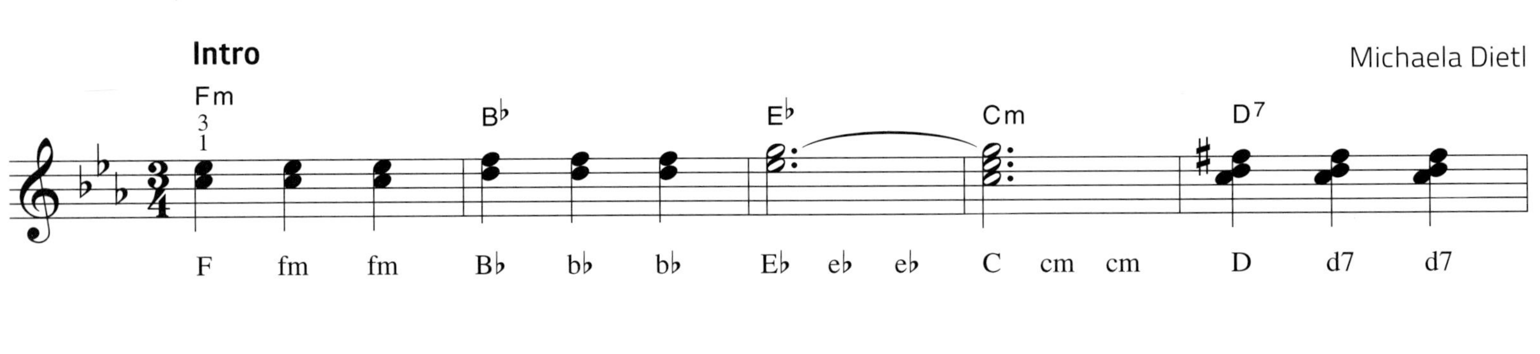

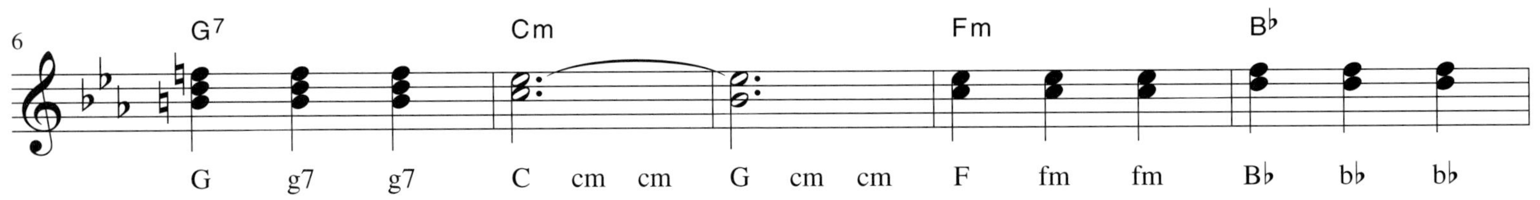

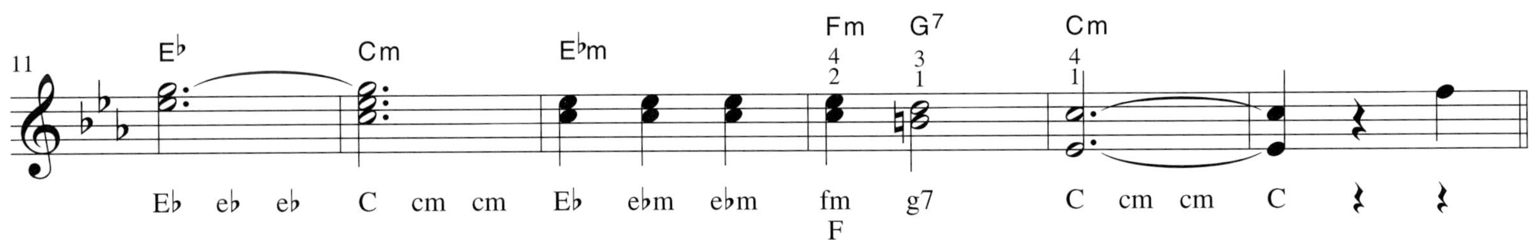

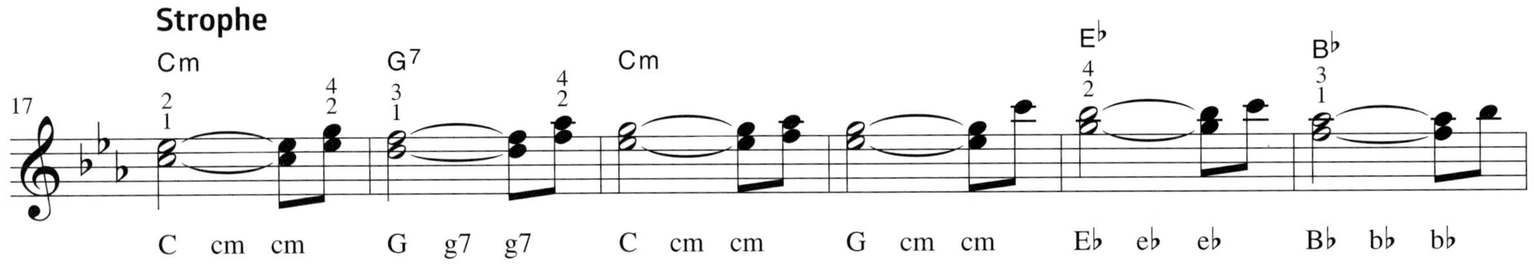

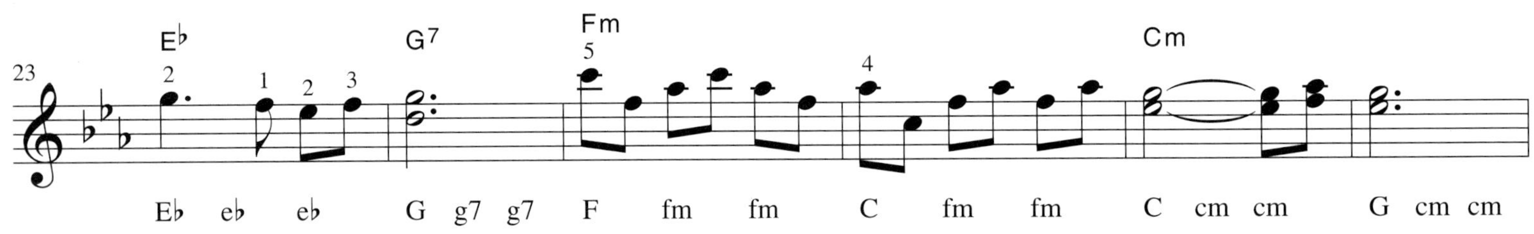

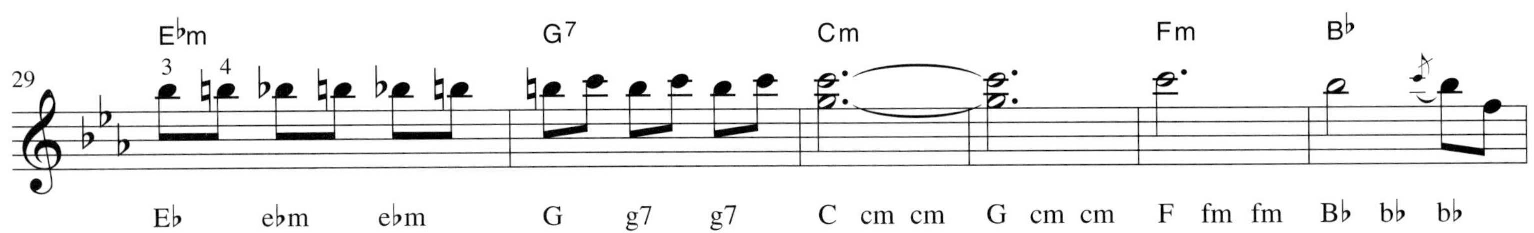

E♭ Cm Fm B♭ E♭
E♭m B♭m F7
Refrain
B♭m Fm B♭ E♭ Cm
D7 G7 Cm Fm B♭
E♭ Cm E♭m Fm G7 Cm
Outro
Fm B♭ E♭ Cm
1. D7 G7
Cm
2. Fm Fm G7 Cm

15. Musette pur

Michaela Dietl

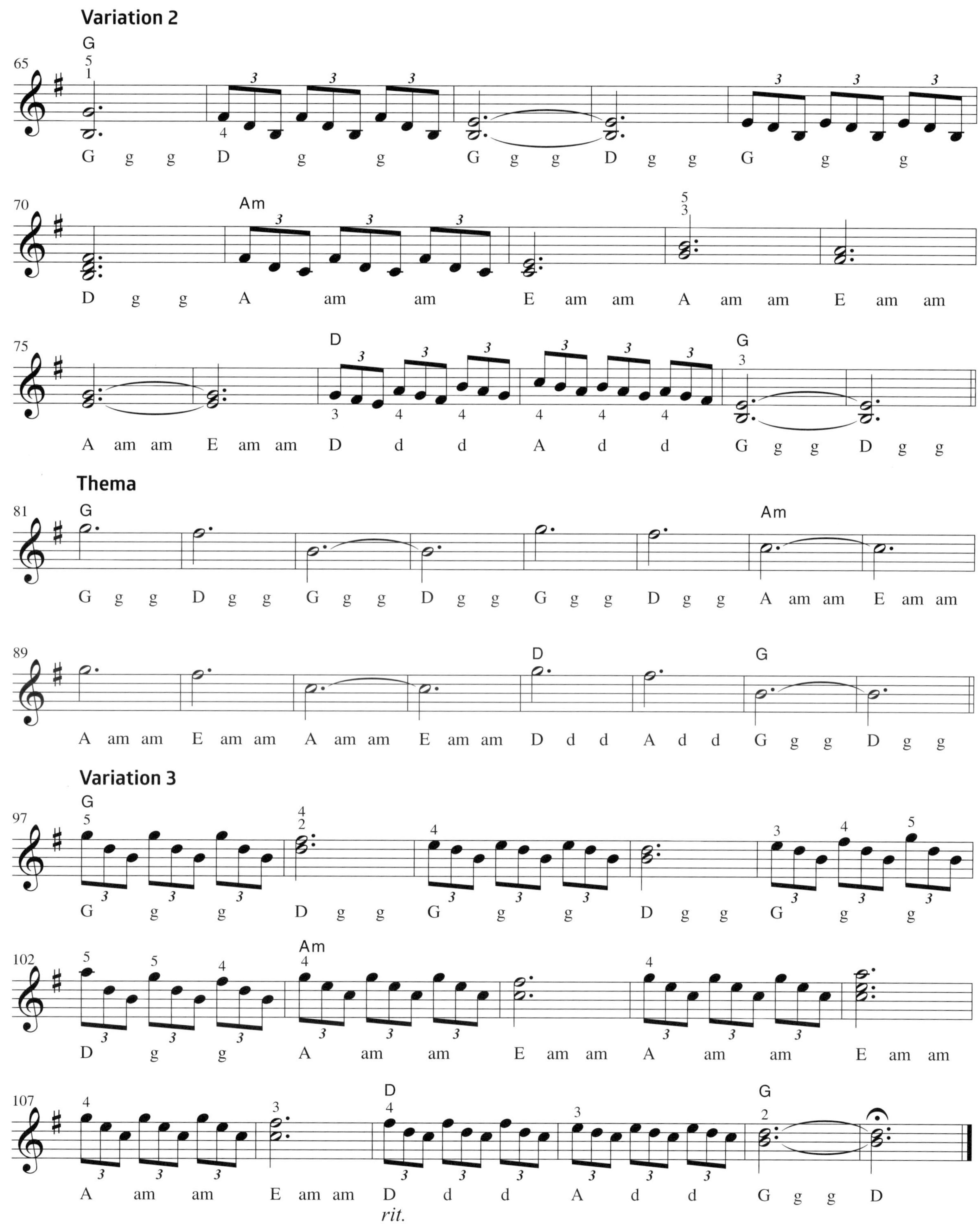
Variation 2
G
D
G
Am
D
G
Thema
G
Am
D
G
Variation 3
G
Am
D
G
rit.

16. Je commence

Michaela Dietl

Mondscheinwalzer

Michaela Dietl

10 Papierwalzer

Papierwalzer

Michaela Dietl

Em
18
4
2
2
1
3
1
Am
E em
B em
(H)
E em
B em
(H)
A am
E am
24
D
5
3
2
1
2
A am
E am
D d
A d
D d
A d
30
G
1
4
1.
1 2
2.
1 2
G g
E g
D g
B g
(H)
D g
B
(H)
D.S. al Fine
con rep.

J'ai perdu 11

J'ai perdu

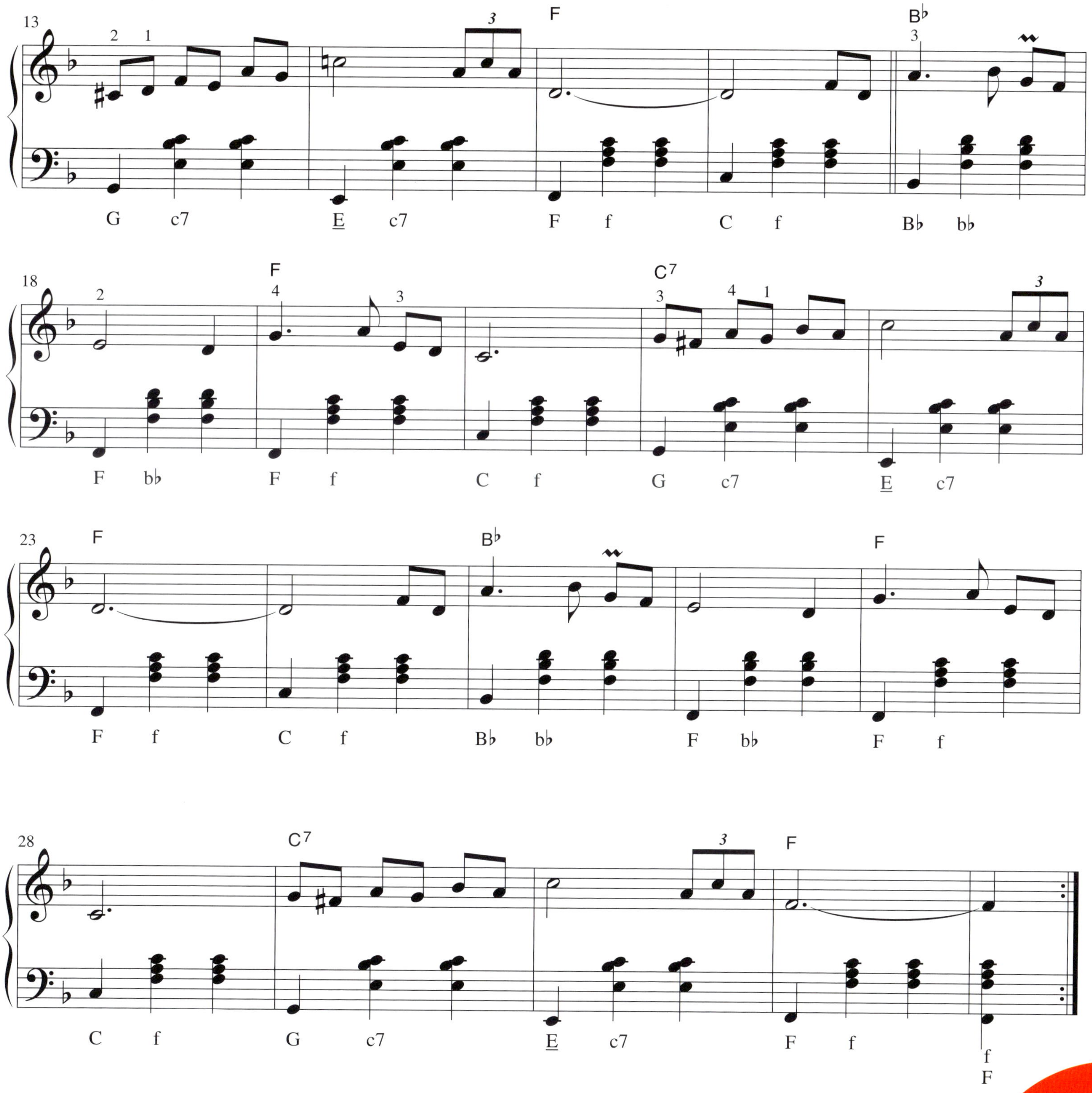

13 F B♭

G c7 E c7 F f C f B♭ b♭

18 F C7

F b♭ F f C f G c7 E c7

23 F B♭ F

F f C f B♭ b♭ F b♭ F f

Flamingo-Walzer

Flamingo-Walzer

Michaela Dietl

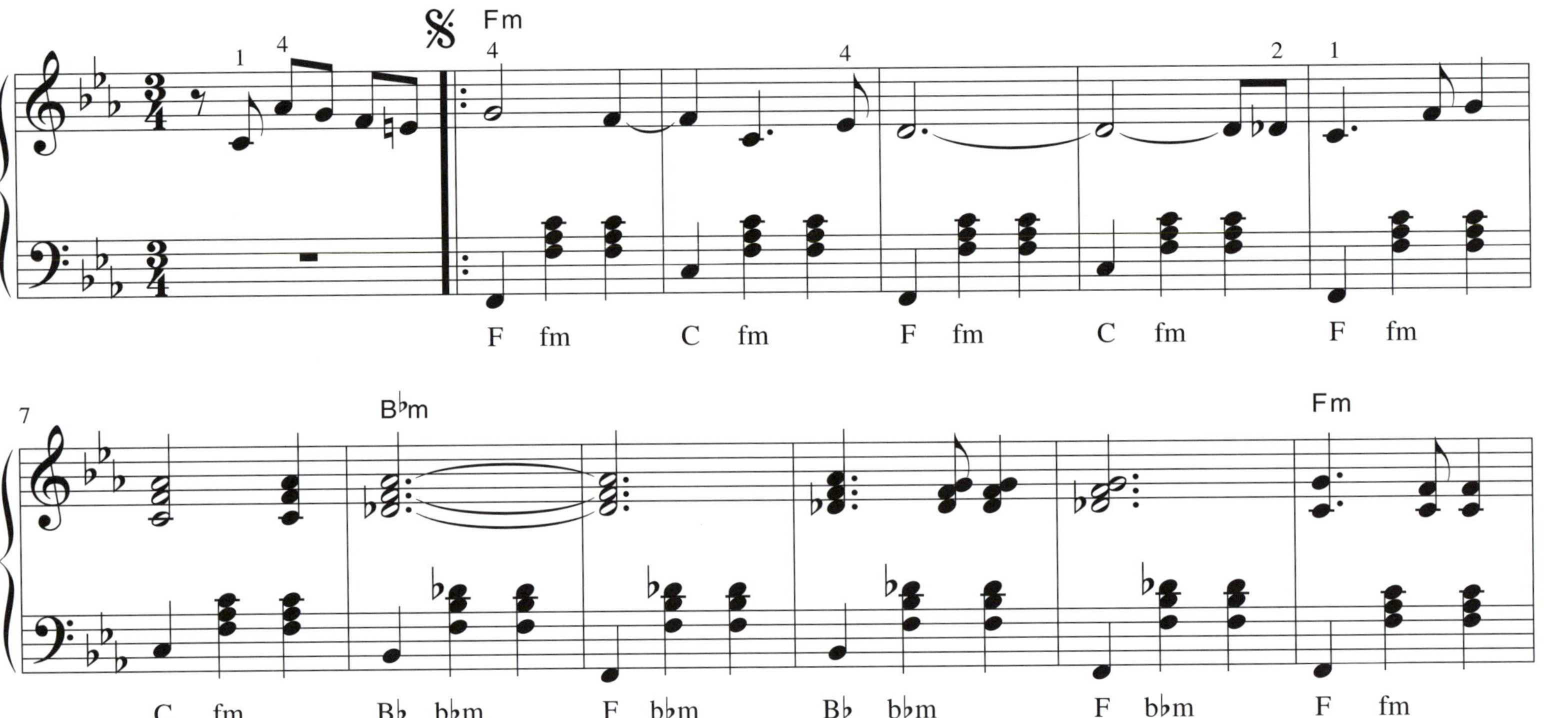

13 C7 Fm 1. 2.

C fm C c7 G c7 F fm fm F fm F **Fine**

19 C

C c E c A c G c

24 G7

E c D g7 G g7 D g7 B (H) g7 D g7

30 C 1. 2.

B (H) g7 D g7 B (H) g7 C c A c **D.S. al Fine con rep.**

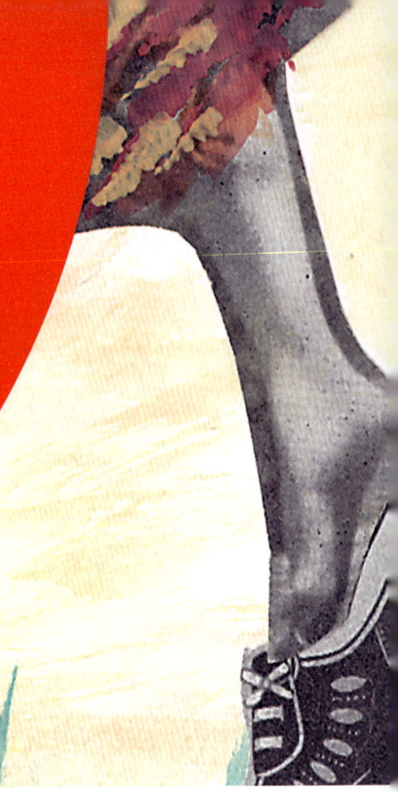

13

Pourquoi as-tu ?

Pourquoi as-tu ?

Michaela Dietl

Variation 1
Am
Dm
A am E am D dm A dm
G7
C
E7
G g7 D g7 C c e7 E
F
C
G
F f C f C c G c G g
1.
2.
Thema
Am
D g A am E am am A A am E am
Dm
G7
C
E7
D dm A dm G g7 D g7 C c e7 E

45
F
C
G
F f C f C c G c G g
50
Am
1.
2.
D g A am E am am
A
Variation 2
54
Am
Dm
A am E am D dm A dm
58
G7
C
E7
G g7 D g7 C c e7
E
62
F
C
F f C f C c G c

66
G
Am
1.
2.
Thema
G g D g A am E am am A
71
Am
Dm
A am E am D dm A dm
75
G7
C
E7
G g7 D g7 C c e7 E
79
F
C
G
F f C f C c G c G g
84
Am
1.
2.
D g A am E am am A

Rüdiger, ach Rüdiger

Intro

Michaela Dietl

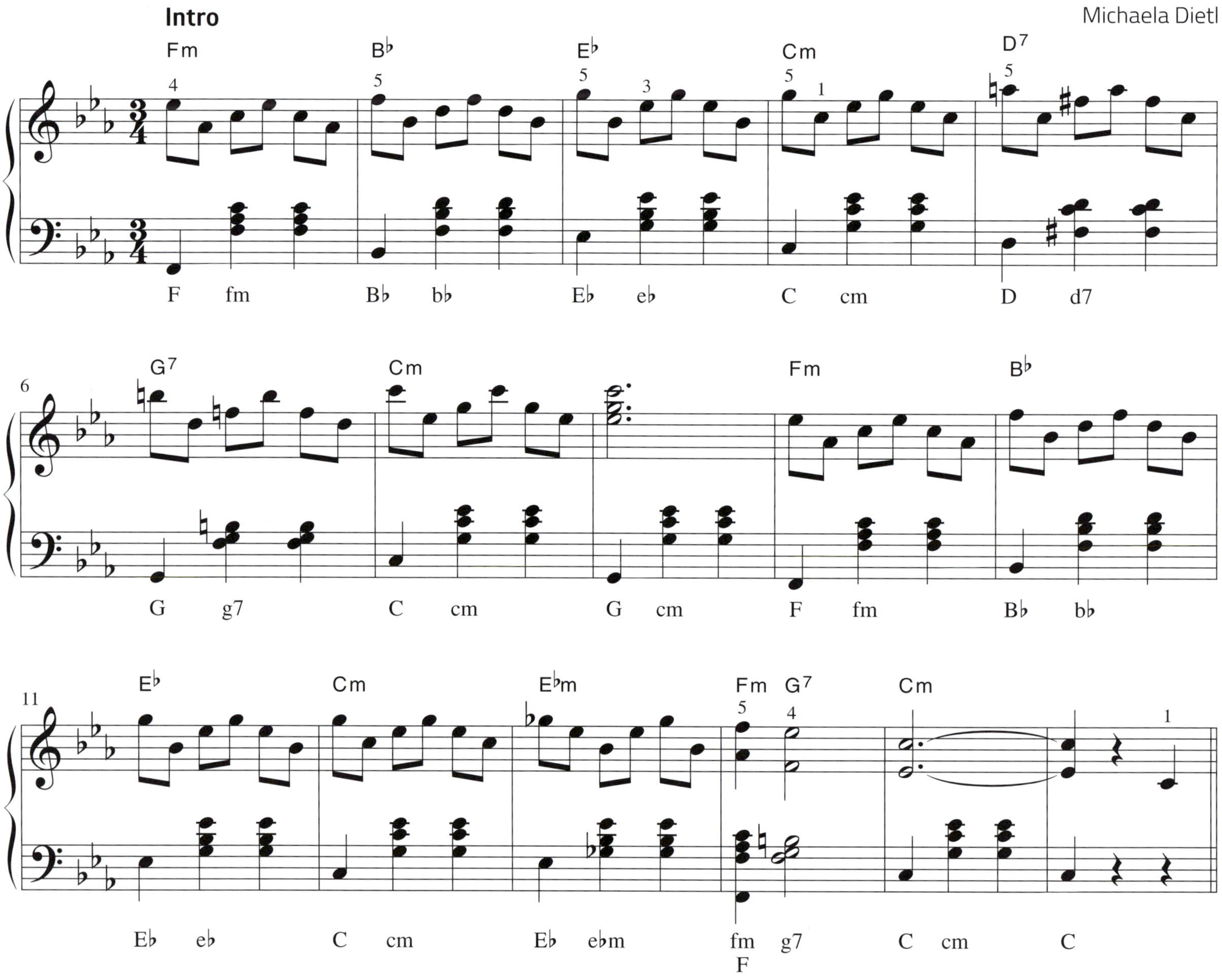

Fm B♭ E♭ Cm D7

F fm B♭ b♭ E♭ e♭ C cm D d7

6 G7 Cm Fm B♭

G g7 C cm G cm F fm B♭ b♭

11 E♭ Cm E♭m Fm G7 Cm

E♭ e♭ C cm E♭ e♭m fm F g7 C cm C

Strophe
17
Cm G7 Cm E♭ B♭ E♭
C cm G g7 C cm G cm E♭ e♭ B♭ b♭ E♭ e♭
24
G7 Fm Cm E♭m G7
G g7 F fm C fm C cm G cm E♭ e♭m G g7
31
Cm Fm B♭ E♭ Cm
C cm G cm F fm B♭ b♭ E♭ e♭ C cm
37
Fm B♭ E♭ E♭m
F fm B♭ b♭ E♭ e♭ B♭ e♭ E♭ e♭m B♭ e♭m
43
B♭m F7 B♭m
B♭ b♭m F b♭m F f7 C f7 B♭ b♭m b♭m
B♭

Refrain
49
Fm B♭ E♭ Cm D7 G7
F fm B♭ b♭ E♭ e♭ C cm D d7 G g7
55
Cm Fm B♭ E♭ Cm
C cm G cm F fm B♭ b♭ E♭ e♭ cm C
61
E♭m Fm G7 Cm
Outro
Fm
E♭ e♭m fm F g7 G C cm C F fm
66
B♭ E♭ Cm
1.
D7 G7
B♭ b♭ E♭ e♭ C cm D d7 G g7
71
Cm
2.
E♭m Fm G7 Cm
C cm G cm E♭ e♭m fm F g7 C cm C

15

Musette pur

Musette pur

Variation 1
G
Am
D
G
Thema
G
Am

Variation 2

41
D
G
A am
E am
A am
E am
D d
A d
G g
D g
G
49
5
4
2
4
G g
D g
G g
D g
53
3
4
5
5
5
4
Am
4
G g
D g
A am
E am
57
4
4
3
A am
E am
A am
E am
D
61
4
3
G
2
D d
A d
G g
D g

Thema
65
G
G g D g G g D g G g
70
Am
D g A am E am A am E am
75
D
G
A am E am D d A d G g D g
Variation 3
81
G
G g D g G g D g
85
Am
G g D g A am E am

89
A am E am A am E am
93
D
G
D d A d G g D g
Thema
97
G
G g D g G g D g G g
102
Am
D g A am E am A am E am
107
D
G
rit.
A am E am D d A d G g D

Je commence

Polka medium

Michaela Dietl

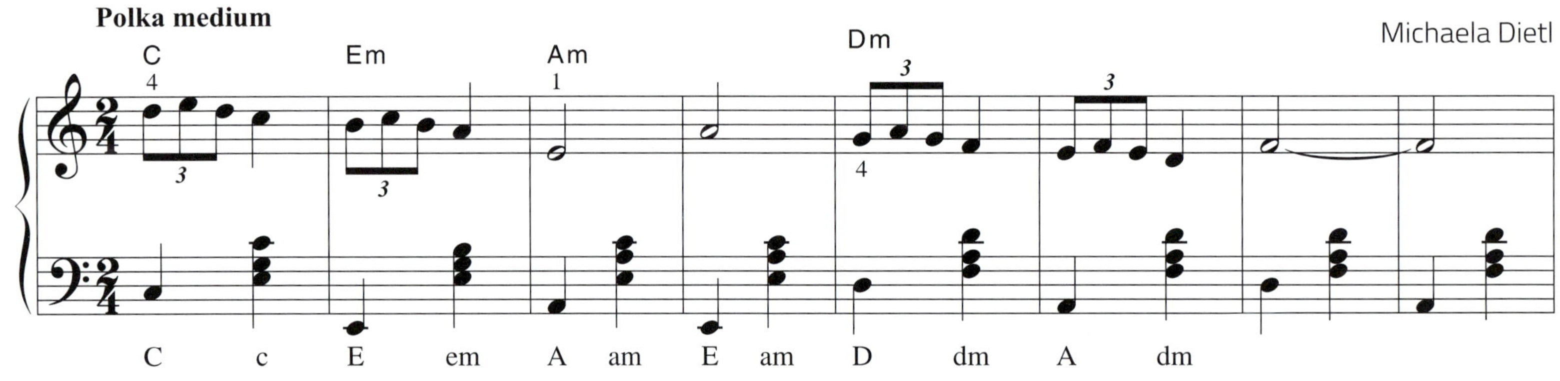

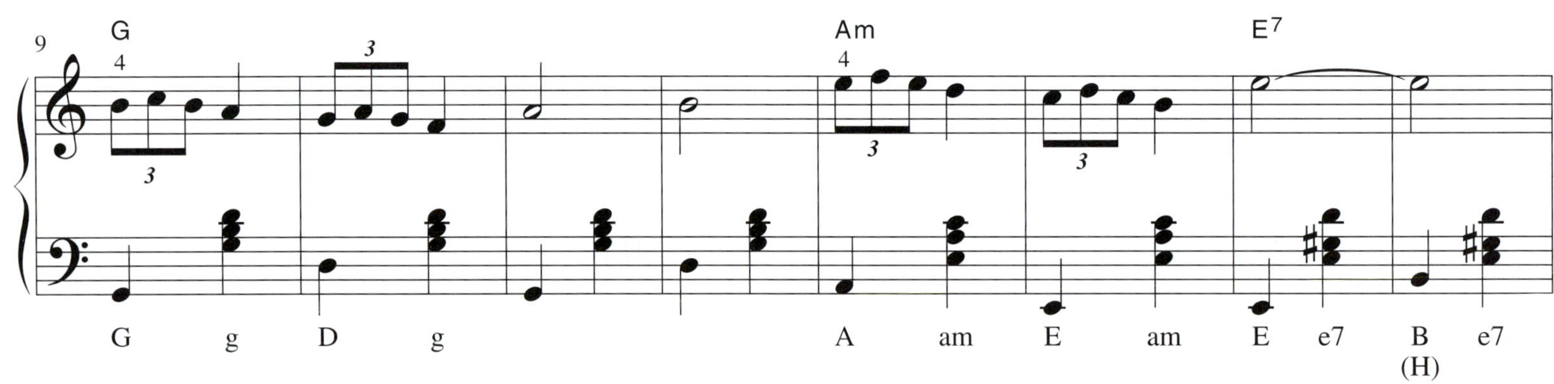

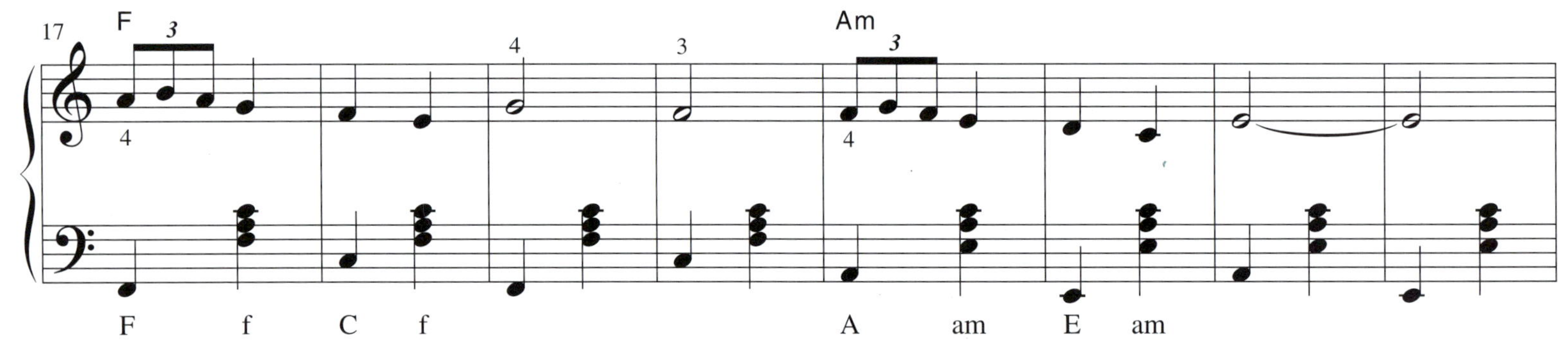

25
Dm | G^7 | C | E^7

D dm | A dm | G g7 | D g7 | C c | G c | C | E

Fine

33
Am | Dm

A am | E am | D dm | A dm

41
G | Am | F | C

G g | D g | A am | F f | C c | G c

D.C. al Fine

17 Tender Joy

Tender Joy

Michaela Dietl

13 D7 G

F♯ d7 A d7 G g E g

17 C G

C c A c G g D g

21 D7 G

F♯ d7 A d7 G g g G